다시 한번, 빛 속으로

그림 **유야**
콘티 **시요, 초코**
원작 **티카티카**

1

대원씨아이

Contents

1화 ···················· 5

2화 ···················· 33

3화 ···················· 65

4화 ···················· 93

5화 ···················· 117

6화 ···················· 143

7화 ···················· 161

8화 ···················· 183

9화 ···················· 205

10화 ··················· 225

11화 ··················· 243

12화 ··················· 263

13화 ··················· 283

Chapter. 1

이덴베르의 꽃.

이덴베르의 빛.

나의 동생,

5황녀
'마리안느'.

그 아이가
환하게 웃을 때면
돌아보지 않는 사람
한 명 없었고,

그 아이의 말
한마디, 한마디에
모두가 귀를 기울였다.

제국 제일의
금빛 눈동자와

사랑스러운 외모,
다정한 성격을 가진

모두에게
사랑받는 아이.

까악

까

까마귀처럼
검은 머리와

칙칙한
초록 눈동자를
가진 나와는

매우
다른 아이였다.

그럼에도 나는
그 아이를 무척이나
아끼고 사랑했으며

우리가
가족이라는 사실은
변함이 없었다.

어머,
웬 까마귀가
마리안느 황녀님께
붙어있네?

같은 황녀임에도
불구하고
내겐 언제나
비아냥이 쏟아졌다.

키득

키득

사람들이
나와 마리안느를
비교하고 수군거려도

언니?

으응,

아무것도
아니야.

나는 온 마음을 다해
그 아이를 사랑했다.

독살이라는 누명을
쓰기 전까지만 해도.

아니

파자

사랑했었다.

파자

그렇지?
나 혼자서 보기에는
아까웠거든.

호호,
언니도 참.

마침
좋은 차를
선물 받아서
같이…

마실….

화라락

콜콜콜

마리…

안느…?

16

…얼마나
잠든 거지?

여기서는
시간을 알 수가
없으니….

누명을 쓴
내가 갇힌 이곳은

…배고파.

!

빛이 들지 않는
지하 감옥의 독방.

하루 딱 한 번 들어오는
물 한 컵과 빵 한 조각이

배식이다!

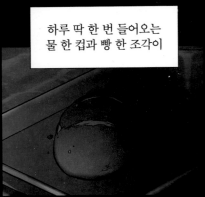

짙은 어둠 속에서
유일한 자극이었던 나는

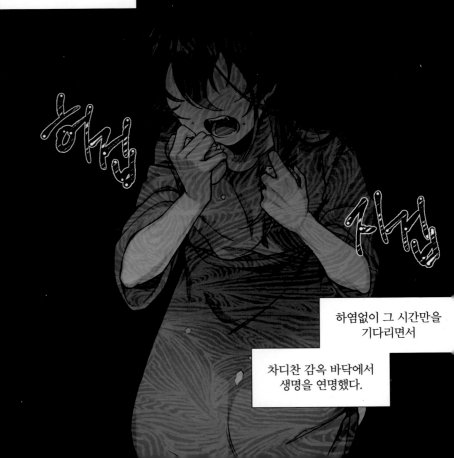

하염없이 그 시간만을
기다리면서

차디찬 감옥 바닥에서
생명을 연명했다.

그러다 문득,
아무런 소식도 없는
가족들에

멈칫

'평생 갇혀 살게 되면
어떡하지?'라는
생각이 들었지만

분명 내 누명을
벗겨줄 것이라 믿으며

애써
자신을 위로했다.

나겨ㅡ..

아아.

햇빛은
이리도 따스하고
아름다운
것이었구나.

Chapter. 2

제 1황자
라키아스
델 이덴베르

제 2황자
엘시스
델 이덴베르

제 3황녀
아드린느
델 이덴베르

제 6황자
를르스
델 이덴베르

제 5황녀
**마리안느
델 이덴베르**

황제
**율레스
델 이덴베르**

나의···

죄?

끝까지
모르는 척하는구나.
아주 징그럽게도
말이지.

동생인
마리안느를
질투하여

죽이려 한 죄
말이다.

저,

저는….

황제께서
물어보시지 않느냐!
물음에 답하라, 죄인!

어,

언니…?

죄를
알고 있어서

변명도
못 하시는 겁니까,
알리사 누님.

아니,

아니야, 를르스!
나는…!

뻐야…

끝까지
변명, 변명!

마리 누님께서
알리사 누님께
무슨 잘못을
했다고…!

를르스,
제발 내 말을….

증인을
데려와라!

쭈뼛

쭈뼛

비천한 존재가
폐하를 뵙습니다….
저는 4황녀궁에서 일하는
레베카라고 하옵니다.

…제,
제가 분명히
봤습니다!

알리사
황녀님께서
마리안느
황녀님과

티타임을 같이
하시던 날…

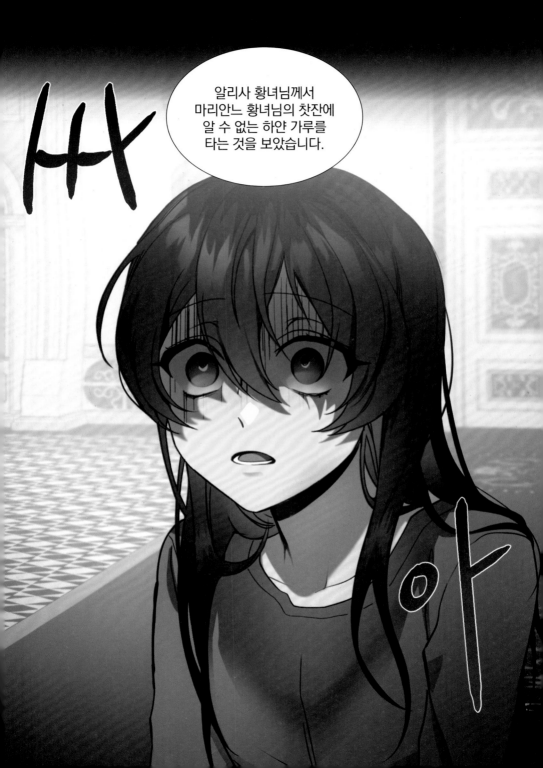

저는 그것을 보고
그저… 그냥 설탕이겠거니
생각했습니다만…

설마 그게
독이었을 줄은….

들었겠지,
알리사.

네 방을 조사한 결과,
옷장에서 남은 독가루를
발견할 수 있었다.

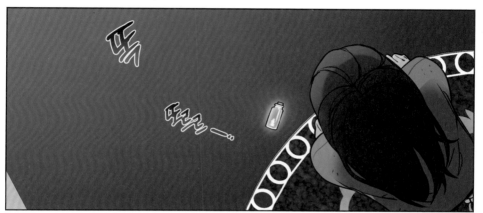

오,
오라버니…

오라버니는
아시잖아요….

제발
나를 믿어줘….

꽈악..

저는,

저는 그런 적이
없어요.
믿어주세요….

제발…!!

오라버….

49

아주
질투로 미쳐버린
얼굴이구나.
더러워.

아버지.
더 이상 두고 볼 필요도
없습니다.

이 파렴치한
죄수의 눈을
지지고

참수형에 처하는 게
어떻겠습니까.

참수형…!

시…
싫어!

이렇게
죽는 건…!

마리안느….

…….

마리…

흑

두 눈이 타오르는
고통 속에서도
나는 결코
눈을 감지 않았다.

그 누구도 나를
믿어주지 않고,
그 누구도
내 말을
들어주지 않았다.

모든 것이
허망했다.

신이시여—

제국의 신,
달의 신이자
복수의 신이신
셀레나 님.

저에게는 정녕 복수를 할 기회도,
억울함을 풀 기회도 없는 것입니까?

그렇다면

어서 저를
죽여 주소서.

그리고

다시는 인간으로
태어나지 않게
해주소서.

누구도
사랑하지 않고

배신 당하지
않으며

하찮은 미물로
삶을 다하도록.

신이시여—.

어서 태어났으면 좋겠어요.

후훗..

이시스 님, 그러지 않아도 몇 달 뒤에는 꼭 태어날 거예요.

하지만!

지금 당장 만나고 싶은걸요!

주님..

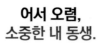

어서 오렴,
소중한 내 동생.

온 세상 사람들이
너를 사랑한단다.

다시 한번, 빛 속으로

불쑥!

귀여우신
황녀 전하!

오늘은 기분이
어떠신가요?

그래,
황녀.

나는
이덴베르 제국의 라이벌인
엘미르 제국의 1황녀,
'아이샤'로 환생한 것이다.

우리 아이샤는 오늘도 참 예쁘구나!

어때, 유모도 그렇게 생각하지?

또 왔네.

'엘미르의 하나뿐인 별'
푸른 보석이 박힌 것 같은 눈과
구름처럼 푹신한 은발.

이젠 고작 10개월이 되는
아기에게 쏟아지는
너무나 과도한 칭찬과 관심.

이덴베르의
황녀였을 때는
받아본 적 없는
그런 대우와 사랑.

오늘은 꽃을 가지고 왔어.
이게 바로 엘미르의 국화인
엘미르 꽃이야.

짠

69

궁에서 가장 예쁘고
큰 꽃으로 골라왔단다.

사락ㅡ

역시!
예쁘다, 내 동생.

끈질겨….

웨!

날 좀
내버려 두란
말이야!

어라~..

우리 아이샤는
정말 낯가림이
심한 모양이구나.

아직 황녀 전하께서
어리셔서 그럴 거예요,
황태자 전하.

흐음….

있잖아,
아이샤.

내가
비밀 하나
알려줄까?

사실 나는
오랫동안 동생이
가지고 싶었어.

그러다
2년 전에…

하지만
우리 어머니는
몸이 약하셔서
동생을 갖는 건
무리였지.

돌아가시고
말았어.

…!

처음엔 괴롭고 모두가 원망스러웠어.

하지만…

아이리스 황후님이 오시고

네가 태어나 나의 새로운 가족이 되어줘서

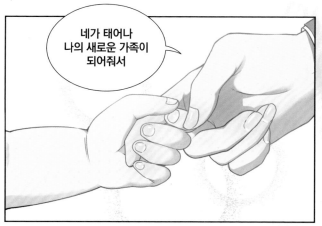

나는 정말 행복해. 고마워, 아이샤.

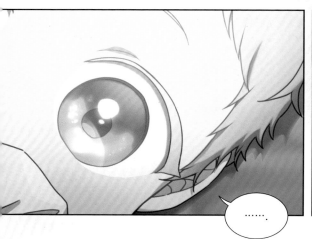

……

달칵

어머, 황태자 전하.
오늘도 저보다 먼저
아이샤를 보러 오셨군요.

엘미르 제국의 황후
아이리스 드 엘미르

주위 나라를 정복하고,
모든 길을 제국으로 통하는
일명 '영광의 길'을 만든
더할 나위 없는 전쟁 영웅이자

훌륭한 치세와 외교로
이름을 떨치는
천하의 명군이기도 한
엘미르 제국의 황제.

내가 태어났을 때,
그는 백성들에게
금화를 뿌리고 신에게
직접 축성을 드렸으며

죄수를 사하고
굶주린 자에게
빵을 주었다고 한다.

제국의 광명이자
이번 생의 아버지.

아이샤,
오늘 하루
잘 지냈느냐.

냉정한 황제로 대륙에
이름을 떨친 그가
가족을 대할 때면

한없이 부드럽고
따듯한 사람이 된다는 것은
황궁 사람들만 아는
공공연한 비밀이었다.

내 앞에서
한없이 따스해지는
아버지와

밤마다 나에게
자장가를 불러주는
아름답고 다정한 어머니.

그리고 내가
얼마나 소중한지 속삭이러
매일 오는 오라버니까지.

나를 사랑함에 있어
의심조차 할 수 없게 만드는
새로운 가족들.

하지만

그럴수록 나를
괴롭히는 기억들.

하지만
마리안느 황녀님,
위험합니다!
죄인을 독대하신다뇨.

괜찮아요.
어차피 독방에
갇혀 있잖아요?

언니와
마지막으로 이야기를
나누고 싶어요.

또각

또각

나, 솔직히 좀
불쌍했잖아?

그것도 벌써
내가 10살 때의 일이니
정말 오래도 지났다,
그치?

생각해보면
언니는 나한테 참
잘해주려고 했는데.

억울하지?

여기서
나가고 싶지?

다, 당연하지….
나가고 싶…어.

저 죄수의 눈을 지지고
목을 쳐라.

나는 잊을 수 없는
참혹한 기억의 밑바닥에
가라앉아.

그러니 얼마나
달콤하고 다정한 말을
떠벌리든

믿지 않을 거고,

사랑하지 않을 거야.

기쁨도, 슬픔도
보이지 않을 거야.
그래서 모두가 나에 대해
어떠한 관심도,
사랑도 생기지 않도록.

그 누구도
이 어두컴컴한 밑바닥에서
나를 찾지 않도록.

그래서 그렇게,
모두에게 조용히
잊혀 사라지도록.

그런데…

왜
자꾸만
점점

너의
그 따스한 말들에
안심이 되는 걸까.

Chaptér. 4

어쩜!!

너무너무
잘 어울리세요!

머리 묶는 건 처음인데,
어쩜 이렇게 얌전하고
사랑스러우신지….

정말이지
천사가 따로
없으시다니까요?

엘미르 제국의 황녀
아이샤 드 엘미르
(1살)

그런데…

황녀 전하께선 언제쯤 말을 해주실까요?

눈치 좀!

헉! 저도 모르게!!

째릿

……

알고 있다.

요… 요즘 부쩍
자라셨으니
곧 말을 하실 거예요!

그럼요.
폐하와 황후 폐하,
두 분의 피를
이어받으셨으니—.

궁 안의 모두가 나에게
착하고 사랑스럽다며
칭찬을 늘어놓지만,

한쪽에서는
내게 무슨 문제라도
있는 것이 아니냐고
수군거리고 있다는 것을.

그도 그럴 것이,
나는 여느 아기들과 달리
감정 표현도 적을뿐더러

지금껏 '엄마', '아빠'는커녕
아주 간단한 옹알이조차
한 적이 없었기 때문이다.

반짝

꾸욱‥

사실 마음만 먹으면
지금 당장이라도
말할 수 있지만…

그 마음먹기가
너무나도
두려운걸….

위로해주러
온 거니?

고마워,
얘들아.

내 눈에만 보이는
이 빛은,

내가 다시 태어난 날부터
내 곁을 지켜준
정령들이다.

나는
그 희귀하다는

'정령사'로 다시 태어난 것이다.

그것도 자연 개체로
존재하는 정령을
볼 수 있는
'특별한'
정령사로.

삶의 의지가 없는
나에겐 쓸모없는
능력이지만…

그래도
정령들과의 대화는 많이
위로가 되었어.

반짝

반짝

…말할 수
있지 않느냐고?

끄덕

응, 맞아.
원한다면 언제든
말할 수 있어.

하지만
그러기에는….

언니, 저는….

아니야, 를르스.
나는…!

제발
내 말을….

오라버니—

믿어주세요.

무서워.
또다시 그 누구도…

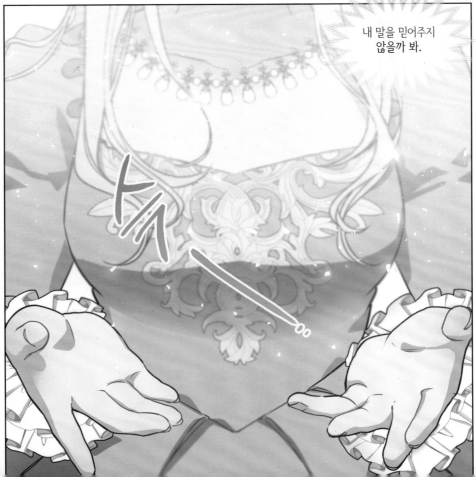

내 말을 믿어주지
않을까 봐.

웃차ー.

!!!

괜찮아,
아이샤도
금방 말문을
열게 될 거야.

그날을, 엄마는
언제까지라도
기다릴 수 있단다.

그러고 보니,
곧 우리 아이샤의
생일이구나.

이번에는
폐하와 황태자 전하께서
네게 어떤 선물을 하실지
기대되지 않니?

...저번에는 이시스가
직접 곰을 사냥해서
선물해줬었지.

고작 9살이면서.

끄응

또독또독

달작

제국의 광명을
뵙나이다.

ㅅ읔

황제 폐하!

톡ㅡ

...정말,

많이 자랐군.

후후.

성긋

한번
안아보시겠어요,
폐하?

음...

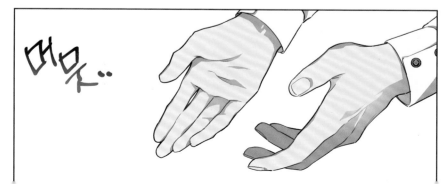

떠뭇..

…안 되겠군.

이렇게 작으니, 내가 만지면 부서지기라도 할 것 같다.

내가 다른 아기들보다 작다고는 들었지만…

그렇다고 해서 유리세공품처럼 와장창 부서지지는 않는데….

폐하.

보세요.
저희 둘의
아이인걸요.

하루가 다르게
건강하게 자라고
있답니다.

벌써 곧 한 살이니,
부서지지는
않을 거예요.

…그렇군.

109

그래서
말인데.

연회라면…

아이샤가 낯을 많이 가리는데 괜찮을까요? 얼마나 여실 예정이신지….

꼼지락

내 생일 연회라니… 조금 궁금하긴 하ㄷ….

한 달.

멈칫

네?

한…

Chapter. 5

하, 한 달이라니…

저를 놀리려고 농담을 하시는 거죠?

한 달 동안 연회를 열면 예산이… 예산…이….

농담이 아닐세.

사랑스러운 첫째 딸의 생일인데 뭐가 아까운가.

이시스도 이 정도는 해줬다네.

예산은 전혀 아깝지 않으니 화려하게 엽시다.

한 달 동안이라니? 너무 과하잖아…! 싫어!!!

부담스럽고 피곤할 게 분명하다고….

분명 싫어하는 내색이셨으니

황후는 말려주지 않…

118

사실 아이리스 황후는
입궁한 지 얼마 되지 않아
입지가 낮은 상태였다.

몸이 약해 사망한
'테티스' 황후가
공녀 출신인 데다

아직도
그녀의 사람들이
황궁 곳곳에
있는 것도
한몫했다.

황위를 물려받지 못한
황족의 자리가
외척세력에 의해
결정된다는 것을
감안한다면

나를 향한 그녀의 불안감도
이만저만이 아니었을 것이다.

하지만
그것을
깨버리듯이—

황제는 나를 위해
한 달 동안이나 연회를
선언했다.

그가 나를
사랑하고

황궁 사람들이
모두

나를
사랑하고 있다는 것을
알리기 위해….

히…잉…

탓!

어머나…!

왜 그러니, 아이샤? 어디가 불편해?

배가 아픈 거니?

나를 걱정하는 마음이 담긴 얼굴….

잘 자라,
우리 아가

앞뜰과
뒷동산에—

새들도
아가 양도

잠을 자는데—

어두워졌네.

황후의 노랫가락과
따뜻함에 설핏 잠이
들었나 보다.

...어두운 건
싫어...

얘들아—.

만약
너희가 없었다면

난 새로운 삶을
포기했을 거야.

왜 그러니?

무슨
일이야?

뭐지…?

사락

131

화아,

누…구….

내… 내가
정령을 볼 수 있다는
사실을 알고 있잖아…?

대체 어떻게…
아니, 그 전에 여긴
어떻게 들어온 거지?

아기에 불과한 내 몸으로
어떻게 해야―.

울음을 터트려
사람을 부를까?

아니, 목숨을 위해
침묵해야 하나?

쉿.

…!

재미있는 아이로군.

"왕을 뵙습니다."

잠깐,
왕...?

그리고 보니...

이 사람, 지금껏 내게 '의지'만으로 말을 걸고 있었어…!

……

아무래도 내가 너무 일찍 찾아왔나 보군.

자아,

오늘 일은 잊어도 된다.

…!

잠깐만…!

Chaptér. 6

어머, 황녀 전하~
일어나셨어요?

좋은
아침이에요~.

으음….

어제부터
한 번도 깨지 않고
푹 주무셨나 보네요.

좋은 꿈
꾸셨어요?

…그런가…?

보름달…을
본 것 같은데…

기분
탓이겠지.

요즘 나에게는
새로운 일이 생겼다.

그건 바로….

아이샤~
여기예요~.

145

황후가 보는 앞에서
걸음마 연습을 하는 것이다.

이 걷기 연습만큼은
열과 성의를 다했다.

다른 것에는
시큰둥한 나지만,

기분뿐이기는 하지만

한 발자국 더
걸을 수 있게 될 때마다
조금 더 자유로워지는 것
같았기 때문이다.

지금까지 내가 최대로
많이 걸은 횟수는 세 걸음.

146

황후를 닮아서인지
조금 작게 태어난 나는

아직 다리의 힘이
온전치 않아 걷는 것이
무척이나 힘들다.

잘 하고 계세요

훌륭하세요!

힘내세요

아이샤~

아이샤,
잘 하고 있어!!

아이샤~

엄마가
여기 있네~.

지치지도 않고 계속해서
나를 향해 팔을 벌리고 있는
황후를 보니

문득 과거의 기억이
겹쳐 떠올랐다.

나의 옛날 어머니,
이덴베르 황후.

나를 따뜻하게
한 번 안아준 적이 있었나?

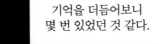

기억을 더듬어보니
몇 번 있었던 것 같다.

어마마마?

얌전히
있어야 한다.

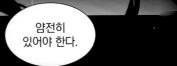

그저 공식 석상에서
화기애애함을 연출하기 위한
정치적 행동일 뿐이었지만…

그럼에도 어머니의 품은
무척이나 따듯해서

나는 행복했다.

149

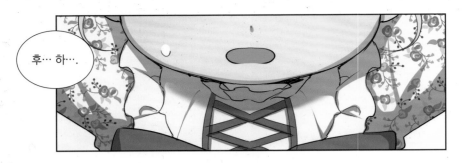

후⋯ 하⋯.

고작 세 발자국 걸었는데
다리가 후들거리다니⋯.

황녀 전하,
괜찮으세요?

하아….

하지만…

이번에는 더
걸을 수 있을 것
같아.

조금만…

조금만 더
가 보자.

황녀 전하~
힘내세요~.

거의 다
오셨어요!!!

아이샤~!

엄마가
여기 있어요~.

거의
다 왔어.

조금만 더….

으앗?!

괜찮으세요?!

조금만 더 가면 네 발자국이었는데… 아쉬워요.

그래도 무척 잘하셨어요, 황녀 전하~.

어머, 아이샤! 괜찮은 거니?

황녀 전하…?

冊0이

어머나, 다시 일어나셨어요!

장하세요~!

정말 대견하세요, 황녀 전하!

여기서 절대로 포기하고 싶지 않아.

어싸

어싸

조금씩

언젠가는
저 품에 거리낌 없이
안길 수 있지 않을까?

조금씩

이렇게
걸어가다 보면…

아이리스~.

따다다

어머니, 아버지!

천천히 오세요, 넘어지실라.

황후께서는 여전히 아이 같으시군요.

아유

새

잘 지내고 있었나요?

그새 더 예뻐지셨네요.

아이, 참 예쁘네요—

그럼요, 황제 폐하께서 얼마나 잘해주시는데요.

그런데, 아이샤는 어디….

황녀 전하시라면 여기 계십니다.

빠아

이 사람들이 황후의 부모님….

그래그래,
어디 한번
안아볼까요?

울지도 않고
얼마나 순한지
모르겠어요.

아이샤가
태어났을 때 이후로는
처음 보시는 거죠?

이렇게
무럭무럭 잘 자라고
있었답니다.

부끄럽지만
제가 보기에도 그 말이
참 맞는 말이라….

다들 아이샤가 너무나
귀엽고 사랑스럽다고
칭찬하는데,

황후가 이렇게
말이 많은 건 처음 봐.

황후님의
어린시절이
생각나네요.

그렇죠?

아버지까지—

황후도 부모 앞에선
영락없는 아이구나.

Chapter. 7

...우으,

으아아아앙!!!

빼

액!

왜 그러니, 아이샤? 괜찮아?

당황

어, 어디 아프기라도 한 건가?

당신이 괜히 목소리를 높이니까 그렇잖아요. 아이들이 얼마나 예민한데요!

퍽

아, 아니. 그렇다고 왜 때리….

맞아요 아이샤가 얼마나 얌전한 아이인데요. 어서 달래주세요.

토닥

괜찮아, 아이샤. 엄마가 있잖니.

할아버지는 엄마가 혼내줄게.

흐우….

훌쩍..

다 싫어.

아이샤,
기분이
안 좋으니?

어떻게 해야
우리 아이샤의
기분이 나아질까?

과자를 줄까,
우리 귀여운
아이샤?

훽!/

어디 보자~.

!

…그냥 나 혼자서
이덴베르의 이름을 듣고
울적해졌을 뿐인데.

조금
미안하네….

빌컥

아이리스.

탓

아이샤!

어머, 두 분께서
어쩐 일이신가요?

내 사랑하는
아내와 딸을
보기 위해 왔네.

그야
아이리스 님과 아이샤를
보기 위해서죠!

…….

후후

일단
앉으세요.

아이샤도, 당신도
잘 지내는 것 같아서
무척 다행이군.

모두 폐하
덕분이에요.

이시스도
있고요.

언제나 아이샤를
좋아해주셔서
감사해요.

엉차

엉차

당연하지요.
저는 **오·라·버·니**
잖아요.

아이샤는 제가
지켜줄 거예요.

그렇게
맹세했어요.

어머,
믿음직스러워라.

…'오라버니'라.

그래서 말인데,
아이샤.

널 위해
준비하고 있는
생일 선물이 있거든!

속닥

선물…?

???

황당

하지만 그건
생일 때까지 비밀!

콩

분명
아이샤의 마음에도
들 거라고 생각해.

…어쩔 수
없지.

조금
기다려볼까.

황녀 전하의 생일 연회가
한 달이나 열린다니
정말 놀랍네요.

이게 다 황녀 전하를
무척이나 사랑하셔서
그런 거 아니겠어요?

그럼요.
이시스 황태자 전하도
아이샤 황녀 전하를
그리 아끼신대요.

얼마 전엔 직접 잡은
곰 가죽을 드렸다고….

놀라워요. 황녀 전하는
어떤 분이실까요?
너무 궁금하네요.
무엇보다도—.

황제 폐하와
황후 폐하 중 어느 쪽을
더 닮으셨을지가….

꿀

꾁

준비가 끝나셨나요,
아이리스 황후 폐하?

또각

어머!

아, 아이리스 황후 폐하,
아이샤 황녀 전하…

드디어
생일 연회 첫날.

아하하···

나는 오늘만
얼굴을 보이기로 해
모두들 기합이
바짝 들어간 상태다.

쪽

만지작

그럼,
사랑스러운 내 딸은
오늘도 예쁘지.

경량화 마법을 건
티아라랬나?
무겁지가 않네.

참, 아이샤도
바깥을 한번
보겠니?

끼익

살랑··

173

네 생일을 위해
다들 저렇게
축제를 여는 거란다.

모두가 너를
사랑하고 있기
때문이야.

첫 번째 생일을 축하한단다, 아이샤.

아이샤!

오늘 정말 예뻐!

귀여워! 사랑스러워!

역시 내 동생이 최고야!

아이리스 님,
제가 연회장까지
아이샤를 안고 가도
괜찮을까요?

좋아요.
하지만 놓치지 않게
조심하셔야 해요.

생일 축하해.
앞으로도 나랑 오래오래
같이 있어줘야 해?

물론이에요!

웅성

웅성

자, 그럼
들어갈까요?

괜찮을까.

막상 앞에 오니
부담스러워….

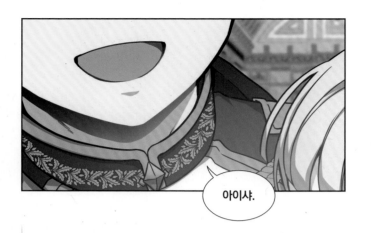

아이샤.

웃자!

나는 아이샤가 무엇보다
오늘 무지막지하게
행복했으면 좋겠어.

그걸 위해서 이 연회가
열리고, 모두가
여기 있는 거니까.

웃으면 긴장도
풀릴 거야.
그러니까
나랑 같이 웃자.

후우

…그래. 내가
할 일이 뭐가 있겠어.
긴장하지 말자.

다시 한번,
빛 속으로

Chapter. 8

저벅

저벅

모두
모였군.

짐의
첫 번째 황녀,

아이샤의 생일 연회를
축하하기 위해
와준 그대들에게
감사하네.

한 달간 있을 연회는
오직 아이샤를 위해서
이루어질 것이네.

그러니
다들 즐기게나.
그리고 축하하게나.

나의 딸의
첫 번째 생일을.

경하 드립니다!

웅성

웅성

이제 곧 내려오시면 가까이에서 뵐 수 있겠죠?

네, 너무 기대돼…

허억!

힐끗

꺄악!

투욱!

처, 처…

어떡해요! 정말 천사가 따로 없군요! 어쩜…!

게다가 황태자 전하께서 황녀 전하를 직접 안고 계시다니!

정말 사랑스러운 모습이 아닐 수가 없다!!!

엄청난 인파….

189

…….

…넘겨주지 않고
뭐 하는 거지?

아이샤는
내 동생인데….

내 딸이기도
하지.

하아아

언제는 내가 부서질까 봐
못 안겠다고 하더니만.

후훗.

츠욱

식은 차례대로
진행되었다.

곧이어 귀족들이
갖은 진귀한 선물을 들고
직위가 높은 순서대로
올라왔다.

아, 아이샤 황녀 전하.
생일을 진심으로
경하….

헉, 허억…!

다음이요.

빛의 신전에서 가져온
축성한 성수가
내 머리 위로 뿌려졌고,

파
아
아

빛의 신성력과
내 정령들은
상성이 좋은가봐.

기뻐보여.

꺄르륵~

그나저나 수도 귀족들이 이렇게 많았다니.

하암

이제 무희들의 춤을 볼 때도 됐는데….

끄응..

다음 순서 이르겠습니다!

이덴베르 제국 사신의 차례입니다!

쿵

쿵

웅

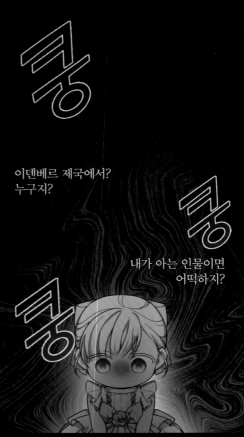

쿵

쿵

쿵

이덴베르 제국에서? 누구지?

내가 아는 인물이면 어떡하지?

엘미르 제국이
기사의 제국이라면

아르센은
이덴베르에서 육성하는
마법사의 탑에서

최연소 현자의 칭호를 받은,
공작가의 첫째 아들이다.

이덴베르 제국은
마법사의 제국.

그리고

내 하나밖에 없는
소꿉친구….

내가 죽기 전
내 나이가 14살이었고,
아르센이 17살이었지.

내가 죽은 지
2년이 지났으니
지금은 19살이겠구나.

싱긋

잘 살고 있어서
무엇보다 다행이야.

마지막 순서
이르겠습니다!

이시스 드 엘미르
황태자 전하이십니다!

이시스?

아아.

생일 때까지
비밀이라고 했던 선물을
지금 주려는 건가?

검?

이시스 드 엘미르,
네 뜻은 미리 들었다.

아이샤에게
기사의 맹약을
하고 싶다고 했지.

예,
아바마마.

예전에도 말했었지?

언제, 어디서라도 내가 너를 지켜주겠다고.

아이샤.

너는 나의 기적이고, 소원이고, 행운이야.

난 앞으로 더 강해질 거란다.

너를 온전히 지킬 수 있게.

그러니, 나를 더 지켜봐다오.

……

끄옥

…바보.

이것은
영광이고,

이것은
신념이며,

이것은 힘이다.

짝..

짝 짝

네 모든 영광과
신념과 힘을,

맹약자를 위해
바칠 것을
맹세하는가?

모든 걸
바칠 것을

짝 짝
와아 짝
아~!

이시스
황태자 전하!

짝
짝

아이샤
황녀 전하!

이시스
황태자 전하!

짝
짝

맹세합니다.

와
아

…그래,

불행은 모두
끝났을지도 몰라.

황제의 온기와
어머니의 사랑

그리고…

이시스의
웃음.

나도 행복해질 수
있을지도 몰라.

아이샤는 이만 쉬는 게 좋겠군.

네, 그러면 아이샤는 이만 자러 갈까요?

저, 혹시 괜찮다면

반짝

반짝

제가 아이샤를 돌봐도 될까요?

아직 불꽃놀이를 보지 못했는데 떠나는 건 아깝잖아요.

그러고 보니 유모가 거대한 불꽃놀이가 있을 예정이랬지?

아, 아직 그 행사가 남아있었군.

그러면 불꽃놀이까지만 보고 아이샤는 자러 가는 걸로 할까요?

네! 아이샤, 불꽃놀이 보러 가자!

여기가 좋겠다,
사람들 없이 구경하기
딱인걸.

아이샤는 아직
불꽃놀이를
본 적 없지?

타
닥

이렇게,
하늘에서 '펑!' 하고
터져서 오색빛깔로
예쁘게 빛나는 거야.

퍼엉~

아이샤의 귀가
아프지 않게

마법사들의 노력으로
소음이 적은 불꽃을
만들었지.

보면 알 거야,
무척 아름답다는걸.

엘미르엔 마법사가
흔하지 않을 텐데.

마법사….

새삼 황제가
이 연회에 많은 노력을
기울였다는 게 느껴져.

아이샤!
이제 시작하려는
모양이야!

그 옆도
작고 아름답네!

엘미르의 상징인
푸른색도 있어!

펑~

!

엘미르어네.

펑~

아…이샤.

아이샤.

아름답다.

…왠지,

왠지
지금이라면
말할 수
있을 것 같아.

펑—

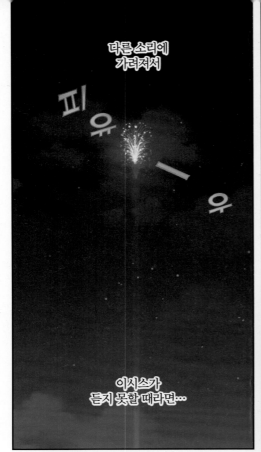

다른 소리에
가려져서

이시스가
듣지 못할 때라면…

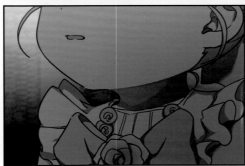

…이히흐(이시스).

드, 들었을까?

조금만 더
빨리 말할걸!

휙

두근

갑자기
조용해지는
바람에….

두근

두근

…아이샤?

피유~

두근

두근
두근

힐끔

두근

퍼엉

지금,
나를 부른 거야?

다시 한번,
빛 속으로

Chaptér. 10

…그래,
맞아.

고작 이름 한 번 불린 게
뭐가 그리 좋다고 울어버리는 건지.

아이샤,
그러니까,
나를….

나를 이시스라고
부른 거 맞지!
그렇지!

다시 한번
불러봐!

이시스,
이시스라고!

왜 대가도 없이
나를 이렇게
사랑해주는 건지.

무슨 일인가요,
이시스?

아이샤에게
무슨 일이라도
생겼나요?

진정하고 천천히
말씀해보세요.

아이리스 님! 아버지!
그러니까 아이샤,
아이샤가요…!

그리고 왜 나는 이들에게
마음을 열 수밖에 없는 건지….

이제는
말할 수 있어.

…마마.

아,

아이샤…

화
악

나는?

성큼

나에게도
말을 해다오.

피식

파파.

......

그래.

화
악

내가
네 아버지다.

…내 딸.

나의 가족….

이시스 황태자.

그리고
아이샤 황녀….

스승님.

무엇을 그렇게
열심히 바라보느냐?

…우리 제국 황족들은
아주 엉망진창인데,

이쪽은
평화롭구나.

부끄럽기
그지없어.

스승님!
누가 듣기라도
한다면…!

들으면 어쩐단
말이냐?

여기는
엘미르 제국 한복판이고,
내가 틀린 말을
한 것도 아닌데. 늙은 나는
목숨에 미련도 없다.

…….

그래도 혹시 모르니
주의하셔야 합니다.

황족을
모욕한 죄는
무거우니까요.

…….

파
악

…스승님.

저는 아직도
이해가 되지
않습니다.

232

……

그래.
네 뜻대로 해라.

나도
도와주마.

가,
감사합니다,
스승님.

감사합니다…!

이 녀석아.
감사하면
평소에 잘해라.

매일 와서
내 어깨도
좀 주무르고.

'아이샤드 엘미르', 라고 했었지.

덕분에 마음을
굳게 먹을 수 있었어.
고마운걸.

......

- 6년 후 -

아이샤―!

흠칫

보통 일곱 살들이
이런 책을 읽나?

갸웃

아하하….

하지만
우리 아이샤는
똑똑하니까.

계절은
계속 순환했고

쓰담

아이샤는
천재인걸.

나는 태어나
일곱 번째 봄을
맞았다.

도 도 도…

아이샤 황녀 전하…!
그러다 넘어지셔요!

도 도 도

어머.

새 가족에게
마음을 열기로 한 나는

포옥

아이샤?

3살 때부터 내 능력을 펼쳐 보이기로 결심했다.

반짝

반짝

어머니, 저 채글 일거 보고 시퍼요.

그렇게 나는 글을 배우기 시작했고

정확히는 배우는 척이었지만

반응은 폭발적이었다.

타닥

아이리스 님!!!

이시스?

궁에서 너무 시끄럽게 뛰어다니면 안ㄷ….

!

화악

이것 좀 보세요!

우리 아이샤는 천재가 분명해요!

짜

빠빠빠

잔

벌써부터 제 이름을 쓸 줄 안다니까요?!

어머!

아이샤가 이걸 썼다고요?

부스럭

심지어…

'엄마', '아빠'라는 글자도 썼어요!!!

감동

아이샤…!!!

하하…

…이후 엘미르어를 차근차근 다 떼고,

머지않아
동화책을 읽었으며

최근엔 고대어를
배우기 시작했다.

나는 특히 정령에
관심이 많았는데,

정령사의 맥이 끊긴 지 오래라
황실 도서관에서도
기록을 찾기가 힘들었다.

하지만 고대에는
그 수가 훨씬 많고
종류도 다양했다고 하니

249

후계자도 아닌데 너무 뛰어난 모습을 보인 것 같아 걱정이었지만…

매일 침대에만 누워있었는데 드디어 무언가를 배울 수 있다니,

너무 짜릿했는걸.

천재라고 떠받들어지는 황족은, 후계자에게 경계의 대상일 수밖에 없어.

물론 이시스 오라버니가 그런 인물이란 건 결단코 아니지만.

입지도 튼튼하고

아이샤.

이런 딱딱한 책 말고 동화책 읽고 싶은 생각은 없어?

251

흐음….

팔랑

그러고 보니 이시스 오라버니의 생김새도 많이 달라졌지.

키가 훌쩍 크고 목소리도 낮아진 데다,

배시시…

내가 읽어줄 수 있는데.

무엇보다 이목구비가 뚜렷해져 더욱 멋있어졌고.

잘생겼어…

동화책은 옛날 옛적에 다 읽은걸요.

그러면 그림 그리는 건?

내가 귀여운 토끼도 그려줄 수 있어.

토끼는 오라버니보다 제가 더 잘 그릴걸요?

시무룩

놀리는 게 꽤 재밌다니까.

...사실 내가 정령을 배우려는 궁극적인 이유는 단 한 가지뿐이지.

이덴베르 제국을 향한 복수.

엘미르 제국에서도
이덴베르 제국의 소식은
손쉽게 접할 수 있어
다행이야.

마리안느는
여전히 성녀 취급을
받는다고 했고,

몇백 년간 앙숙 사이였다가
화친을 시작한 것이
몇십 년 사이니,

서로에 대한
악감정과
관심은 여전하겠지.

라키아스 오라버니는
올해 황태자 책봉식이
열릴 예정이라….

하하….

내가 죽어도 다들
멀쩡하게 잘 살고 있구나.

괜찮아?

기운 내.

그래. 이덴베르 제국의
황녀로 살 때에도
정령사는 보지 못했으니,

복수를 할 때
내가 정령사인 건
비장의 패가 되어줄 거야.

…그런데 그때
그건 뭐였을까.

**마리안느의
붉은 눈….**

......

가끔 생각하는
거지만…

아이샤는 나보다도
더 어른 같다고
느껴질 때가 있어.

......

기분 탓일
거예요.

그래.
그렇겠지?

이게 다 아이샤가
너무 천재라서 그래.

오라버니도
천재이신걸요.

우리 제국에서
오라버니의 창술 실력을
따라올 사람이
없다고 들었어요.

수련도 매일
하고 계시고요.

깜짝 놀랐어….

바람이 조금
차네요.

오라버니,
이제 내려갈까요?

아이샤.

무슨
일이지…?

분

주

아이샤
황녀 전하!

유모, 무슨 일
있었어?

황후 폐하께서
방문하셨어요.
황녀 전하를
기다리고 계세요.

어머니가?

260

한 해의 가장 큰 행사들인 만큼
황궁에서도 아주 많은
관심을 가지고 준비한다.

그래서 황후이신
어머니가 그 준비에
바쁜 건 어쩔 수 없는
일이지.

곧 봄의
제전이니까.

그나저나
기별도 없이
찾아오시다니,
하실 말씀이
있으신 걸까?

어머니!

왔구나,
아이샤.

어머니, 뵙고 싶었어요.

그동안 건강하셨어요?

그럼, 우리 아이샤를 사흘이나 못 본 건 힘들었지만 말이야.

여선 앞으론.

쪼르륵

아, 참. 어머니, 봄의 제전 준비는 어떻게 되어 가나요?

늘 똑같지. 매번 비슷해서 사람들이 지루해 한다는 게 문제란다.

뭔가 새로운 행사를 열어보고는 싶은데 마땅한 생각이 떠오르지 않는구나.

그보다, 아이샤.

요전번에 오셨던 알민 학자님을 기억하니?

네. 엘미르 제국 아카데미 교수님이셨죠?

그때 학습 능력을 쟀던게 문제가 있었나?

지.루

너무 대충 대답한 걸가···

불끈!

학자님이 네 능력이 무척이나,

무척이나 훌륭하다고 반복해서 말씀하시더구나.

덜그럭

그게 말이다, 아이샤.

심지어 네가 몇십 년에 한 번 나올까 말까 한 천재라고 하지 뭐니!

몇십 년에 한 번 나올까 말까 한 천재라니, 부담스러운걸요.

더 엉성하게 대답했어야 하는구나···!

아이샤.

?

달그락

너는 미래에
무얼 하고 싶니?

네가 총명하다는
사실은 옛날부터
알고 있었단다.

어릴 적에도
너를 가르치러 온
귀부인이 감탄했던 걸
기억하니?

하지만
학자님의 말을 들으니,
너에게 앞으로
무얼 해줘야 할지
더욱 고민이 되더구나.

뭐라도 좋단다.
하고 싶은 게 있다면
황제 폐하께 말씀드려
무엇이든 밀어줄게.

저는….

아!

아니면 봄의 제전에서
다른 또래 아이들을
사귀어 보는 건 어떠니?

어머나

내가 너무 조급하게
말한 것 같구나.

천천히
생각해보렴.

친구를 만나 보면
아이샤가 하고 싶은 걸
정하는 데에
도움이 되지 않을까?

까르르르~

호위는 내가 할거야!

아버지와
오라버니가
허락을 할까요?

곧 밖은 위험해!

호호호.

네, 그렇게
해볼게요.

뭐라도 좋단다.
하고 싶은 게 있다면
황제 폐하께 말씀드려
무엇이든 밀어줄게.

힘든 일이 있으면,
나에게
의지해주기야.

복수를 하려면,
나 홀로
할 수밖에 없겠지.

절대 가족들에게
부담을 안겨주고
싶지 않아.

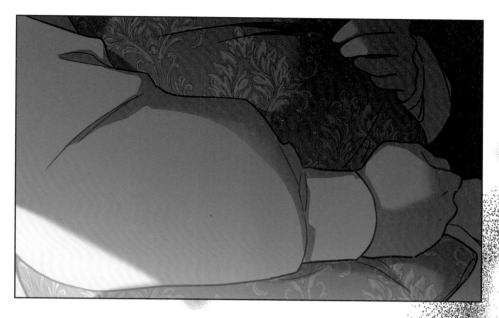

그러니까 더더욱,
정령술을 갈고닦을 수밖에 없어.

휴….

그래.

지금은 당장 할 수 있는 일에
집중하자.

그리고….

…….

환상…
사전.

…만드는 법.

…….

픅

…하아.

제대로
읽을 수가 없어.

나는 어제부로
드디어 초급 고대어를
모두 다 뗐다.

탁

어렵긴 했지만,
기본적인 어휘를
대강 배운 데다가

형성 원리를 깨우친 덕에
문자의 모습을 보고 어느 정도
그 뜻을 유추할 수 있게 된 것이다.

…공용…

…서적.

이제 남은 건
실전뿐인 것 같아 서둘러
고대어 서가로 왔지만….

아직 초급 수준이라
그런 걸까.
모르는 글자가 반이야.

그나저나
제국의 모든 책이 모이는
황궁 도서관인데도
고대어 서가는
무척 작구나.

책도 오래된 것들
뿐이고.

어쩔 수 없지. 다 찾아보는 수밖에. 내가 원하는 책이 하나라도 있을지 모르니까.

조심~

어?

정령의 역사?!?!

이거야!

철얼~썩!

이 책을 공부하면 조금이나마 정령에 대해 알게 될지도 몰라!

너희도 기쁘구나.

고마워.

어서 가서 읽어봐야지.

아이샤.

아이샤.

응?

이거.

봐줘.

봐달라고?
마법에 관련된
책인가?

읽어줘.

읽어줘야 해.

내 능력의 한계인
탓인지는 모르겠지만

여태껏 정령들과 말을 주고받을 순 있어도
구체적인 대화는 나눌 수 없었어.

그런데 얘네들이 이렇게
필사적으로 부르는 거라면

무언가 이유가 있을 거야.

알겠어.

끄덕

꺄르르~

아이샤!

오라버니…!

여기서
뭐 하고 있었어?

알민 학자님이
왔다 가셨다고
들었어.

텅..

학자님께서
너를 천재라고
하셨다며?
역시 내 동생이야.

아이리스 님께서
네 진로에 대해
생각이 많으신 것 같은데,
그렇다고 해서 너무
고민할 필요는 없단다.

네가
하고 싶은 일을 하렴.
무얼 하든 우리들이
지지해줄 테니까.

…….

그럼 나는 이만
할 일이 있어서
먼저 가볼게.

이시스
오라버니는…

무슨 생각을
하고 있는 걸까?

마치 내가
무얼 숨기는지
알고 있는 듯한…

핫!

아니,
그럴 리는 없지.

절래

절래

그만큼 비현실적인 이야기니까.

내가
정령의 자질을
갖고 있다는
거냐,

사실은 환생을 한
몸이라는 건.

···그 언제가 되든
말할 수 없겠지.

돌아가자.

정령들은 싸움을…
서로… 하게 되었고…

결국
정령사들은

…를 통해

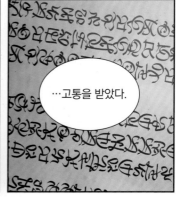

…고통을 받았다.

우으…

확실하지는 않지만
정령사들의 맥이 끊긴 이유가
정령들 간의 싸움에
휘말린 탓이라니.

내 고대어 실력이 부족해서
제대로 읽히지는 않지만
대강 읽어도 굉장히 흥미로워.

팔
락

그치만 태어났을 때부터
정령을 볼 수 있는
사람에 대한 내용은 없네.

끔
뻑

그럼 나는
어떤 존재인 거지?

하아…

상담할 사람도 없으니,
이 능력을 어떻게
해야 할지….

어?

「정령 소환」!!

< 정령 소환 >

드디어
찾았어!

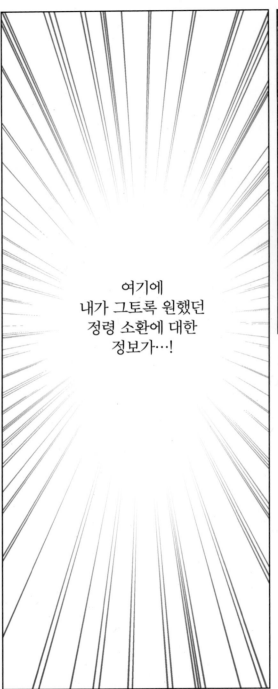

여기에
내가 그토록 원했던
정령 소환에 대한
정보가…!

저, 정령 소환을
하기 위해서는,

먼저 사용자의
'마나'와… '정령---'이
필요하다?

이 두 가지가
모두 준비되었다면,
제일 중요한 것은…

바로 정령
소환 계약진이다.

그것은 고대로부터
…되어온 마법진으로,

정령과 이 세계를
이어주는 힘을…
가지고 있다.

그렇구나!
이것들만 있으면
정령을 소환할 수 있어!

그렇다면
정령 소환진은….

하지만 이 책에서는
정령 소환진에 대해
따로 다루지 않겠다.

만약 소환을
원하는 사람이라면,

현재 특별
행사 중인…

정령진에 관한
책을…
사 보도록…?

말도 안 돼,

장난해?!

이제야 정령과 정령 소환에 대해 좀 더 알 수 있을 거라 생각했는데… 그놈의 정령 소환진이 없어서 불가능하다니!

이 책을 쓴 자는 장사꾼인 게 분명해. 소환진에 관한 책도 팔아먹으려고 여기서 끊은 걸 거야….

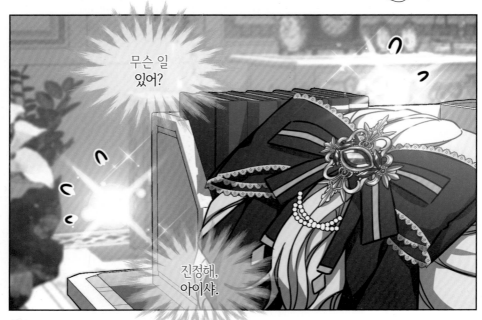

무슨 일 있어?

진정해, 아이샤.

…그래,
너무 흥분했어.

하ㅡ

아무것도
아냐

잠깐
쉬어야지.

잠시만.

정령들이
읽으라고 했던
저 책…

타

제목도
저자의 이름도
없었어.

팔락

팔락

하지만 만약
정령 소환진이
정령사들에의해

구전 문학처럼
알음알음
내려오는 거라면…

팔락

「하급 정령 소환 계약진」

있다!

아까 《정령의 역사》에서 보았던
소환법으로 해보는 거야.

팟

탓

첫째,
정령 계약진을
준비할 것.

택

달칵

둘째,
사용자의 마력이
부족할 경우,
마법석을 준비할 것.

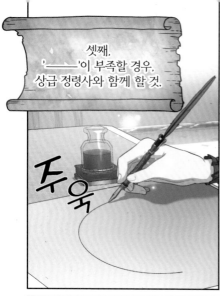

셋째,
'———'이 부족할 경우,
상급 정령사와 함께 할 것.

주욱

그 위에 손을 올리고
다음과 같이 말을 외울 것.

"만물을 이루는
정령들이여."

우웅

그리고
계약진을 그렸다면—

슈

으…!

!

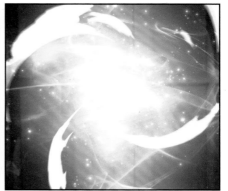

휴우…

소환됐다!

이 목소리는….

괜찮아?

읽어줘.

기운 내.

읽어줘야 해.

혹시
너….

저와
계약하시겠어요?

다음 권에 계속…

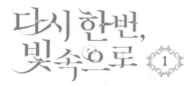

1판 1쇄 인쇄 | 2023년 11월 23일
1판 1쇄 발행 | 2023년 11월 30일

원작 티카티카
그림 유야
콘티 및 도움 LIA 자아분쇄기 PICA 하비 웅야
기획 서소여

발행인 황민호
콘텐츠1사업본부장 이봉석
편집 장숙희
연재 담당 조은진
마케팅 한성봉 이재원 정헌식 유호동
제작 최택순 진용범
표지 디자인 뮬
본문 편집 (주)디자인_프린웍스
발행처 대원씨아이
주소 서울특별시 용산구 한강대로 15길 9-12
전화 (02)2071-2019 **팩스** (02)749-2105

© 2023 티카티카·유야/대원씨아이

ISBN 979-11-7124-959-6 07810
        979-11-7124-958-9 (세트)